pompei e le acque

soprintendenza
archeologica
di pompei

pompei e le acque

annamaria ciarallo

 electa napoli

Electa Napoli

art director
Enrica D'Aguanno

grafica
Flavia Amendola

Il volumetto è pubblicato
nell'ambito della Manifestazione
«Le stagioni nell'Antica Pompei»
Area archeologica di Pompei
2005-2006, curata dal Laboratorio
di Ricerche Applicate della
Soprintendenza Archeologica
di Pompei, e condotta in
collaborazione con Antica
Erboristeria Pompeiana.
La bibliografia di approfondimento,
aggiornata semestralmente, relativa
agli studi e alle ricerche, che hanno
preceduto la divulgazione dei
risultati nell'ambito della
manifestazione, può essere
consultata sul sito della
Soprintendenza Archeologica
di Pompei www.pompeiisites.org
alla voce Laboratorio.

Il testo e le foto naturalistiche
sono di Annamaria Ciarallo.
Il disegno a p. 16 è tratto
da *Homo Faber*, Parigi 2001

In copertina:
Mosaico con pesci e nuotatori.
Pompei, Casa del Menandro

a pagina 1
Conchiglia di Murex,
ritrovata a Pompei

a pagina 2
Amorino con delfino, particolare
dell'affresco della Casa della Venere
in conchiglia, a Pompei

sommario

Nulla è più prezioso dell'acqua: già Pindaro così introduce uno dei suoi carmi in onore di un olimpionico, a significare, anche, come è da semplici origini che si possono dispiegare le virtù più elevate. Così che l'abilità tecnica degli uomini si è misurata con questo onnipresente elemento naturale, per sfruttarne al massimo le potenzialità utili al benessere del gruppo sociale di appartenenza. Seguire lo sviluppo di una tale interazione permette di aprire conoscenze, talvolta inattese, sul mondo antico. L'acqua, nelle sue varie forme di presenza, assume un ruolo molteplice, rivolto non solamente all'essenzialità del sopravvivere, ma anche al piacere del vivere. Essa non ha una forma definita e, se ben condotta, si adatta a quelle misure e a quelle dimensioni che l'uomo le sa imporre. Né l'acqua è solitaria: in essa, accanto ad essa, si moltiplicano altre specie, vegetali ed animali, dalle quali ugualmente l'uomo ha saputo trarre profitto. Anche se, come sempre accade nel mutuo gioco di specchi tra uomo e natura, può anche verificarsi come l'acqua sia fonte di disastri esiziali per l'uomo: nelle forme più varie e più dannose, nella violenza e nell'assenza, con drammatica evidenza e con subdola insinuazione.

In questa piccola mostra si è provato ad illustrare alcune variazioni sul tema delle acque in ambito pompeiano. È un modesto rivolo, che scorre verso un più ampio mare

Pietro Giovanni Guzzo
Soprintendente Archeologo di Pompei

*...enere e amorini, affresco
...ella Casa della Venere
conchiglia, Pompei*

Le antiche città avevano sorgevano per necessità vicino a fonti di acqua dolce, e Pompei non sfuggiva alla regola: il fiume Sarno e i suoi rami le assicuravano l'approvvigionamento dell'acqua necessaria a tutte le attività del vivere quotidiano.

Ma l'antica Pompei aveva di fronte anche il mare: e questo le assicurava scambi commerciali su ampia scala, e con essi la possibilità di utilizzare al meglio le risorse offerte dal suo ricco territorio.

Quanto fossero importanti il fiume e il mare per gli antichi pompeiani è testimoniato dalla ricca rappresentazione iconografica giunta fino a noi.

Il fiume Sarno era rappresentato talora come un giovane che elargiva le sue acque benefiche tanto necessarie per l'irrigazione dei campi, talora come un vecchio: forse ad indicare il primo il tratto iniziale del corso, dalla corrente impetuosa, o il secondo il placido tratto finale caratterizzato da pigri meandri sulle cui anse terminali si sviluppava probabilmente il porto; erano raffigurati entrambi circondati da piante palustri, con una lunga e frondosa canna tra le mani.

La grande pescosità del mare antistante la città, favorita anche dall'apporto del fiume, era celebrata in pitture e mosaici di cui alcuni famosissimi per la straordinaria accuratezza con cui sono raffigurati i pesci, tanto da permettere il riconoscimento della specie.

Non è solo l'iconografia, però, a testimoniare l'importanza del fiume e del mare nella vita degli antichi Pompeiani. Un gran numero di reperti ci ricorda infatti ora l'una, ora l'altra realtà: valve di conchiglie, impronte di canne di vimini e di giunchi, ciottoli arrotondati, travertini, pollini di piante fluviali o legate al fiume; e ancora valve di conchiglie questa volta marine, lische di pesce, attrezzi per la pesca, ancore e perfino una barca.

Lo studio comparato di tutti questi dati e il confronto con le fonti letterarie permettono, infine, di ricostruire i rapporti tra uomo e ambiente nel territorio vesuviano di duemila anni fa, e con essi un'importante spaccato sulla quotidianità della popolazione locale.

...ci in vivaio, affresco ...Pompei. Napoli, Museo ...heologico Nazionale

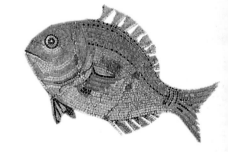

Se potessimo guardare dall'alto la regione vesuviana com'era nel 79 d.C., troveremmo il Vesuvio molto diverso da quello attuale, perché costituito da una sola cima coperta di boschi, mentre la piana era coperta da vaste distese boschive intercalate dai coltivi e punteggiate di centri abitati piuttosto distanti l'uno dall'altro.

Ad est la piana vesuviana era chiusa in lontananza dai monti calcarei di Sarno; in prossimità del mare dalle pendici della catena, anch'essa calcarea, dei monti Lattari, ricchi di pascoli.

Ad ovest la piana era aperta verso Ercolano; anche questa cittadina era un po' elevata sul mare. A circa metà strada, ma più vicina a Pompei, su di un terrazzo naturale si ergeva la cosiddetta villa imperiale di Oplontis (oggi Torre Annunziata): tra quest'ultima e l'antica Pompei le più recenti indagini geologiche hanno messo in evidenza la foce di un ramo secondario del Sarno ancora esistente nel 79 d.C.

Il mare lambiva una costa molto più articolata di quella attuale, occupata dai delta del fiume: spingendosi verso l'interno si succedevano un gran numero di habitat diversi, ciascuno caratterizzato da peculiari specie vegetali ed animali, che ne accompagnavano il corso. Su di una collinetta rocciosa, dominata dalla mole del Vesuvio, si ergeva Pompei, da cui le strade si dipanavano verso l'interno o lungo la costa.

La città racchiudeva un gran numero di spazi verdi di diverse dimensioni ed era circondata da orti irrigui.

A nord della città il paesaggio era prevalentemente agrario, caratterizzato da colture estensive di diversa natura e dalla presenza di numerose proprietà rurali (le cosiddette "ville rustiche").

La disponibilità di acqua dolce e la vicinanza di un mare particolarmente pescoso, le ricche risorse naturali (tra cui un suolo estremamente fertile, l'ottima esposizione al sole e ai venti delle colline e delle pendici montane, che trovano riscontro anche nelle descrizioni degli autori classici), rendevano Pompei e il suo territorio un luogo privilegiato nella stessa *Campania felix*.

...poliere tra fiori ...lude, affresco nella ... del Menandro, Pompei

...rino che "fa surf" ...n granchio, affresco ... Casa dei Vettii, ...pei

il fiume

Il corso del fiume Sarno ha conosciuto nei secoli notevoli rettifiche, soprattutto a partire dal 1400 quando cominciarono a presentarsi problemi di impaludamento. La modifica più imponente e repentina fu però dovuta ad un evento naturale, cioè all'eruzione che nel 79 d.C. distrusse l'antica Pompei: il corso del fiume subì notevoli modifiche soprattutto nel tratto terminale, anche per l'avanzamento della linea di costa che si produsse. Attualmente l'intero bacino fluviale fa parte del Parco Regionale del Fiume Sarno.

il corso

"Larario del Sarno". Affresco nella Casa del Larario del Sarno. Pompei, nei pressi di via di Nocera.

Il fiume prende origine nei monti cosiddetti di Sarno: in antico, secondo gli studi più recenti, già alle sorgenti si ripartiva in due rami. Quello più a occidente lambiva l'antica città di Pompei

contribuendo ad approvvigionarla di acqua dolce, mentre l'altro si gettava in mare più sud, dopo aver percorso la pianura con amp meandri, il più vicino dei quali alla costa ospitava forse il porto.

Le diverse condizioni climatiche, caratterizza da un lungo periodo di forti piogge, determinavano frequentemente alluvioni ed esondazioni, che lasciarono le loro tracce anche in città: del resto ancora qualche sec prima, Pompei fu fondata proprio in quel punto (perché più elevato rispetto alla piana dagli abitanti di un villaggio palafitticolo che nel II millennio a.C. sorgeva nell'area dell'odierna Poggiomarino, e che fu distrutt proprio da un'alluvione. In quest'area è in co di creazione un parco archeologico.

Le frequenti alluvioni ed esondazioni determinarono soprattutto la necessità di

re il territorio in maniera attenta. I pendii,
sempio, venivano stabilizzati secondo
ri che oggi definiremmo di "ingegneria
ralistica", realizzando canali, fosse di
imento e allestendo viminate (fascine di
hette di legno) per consolidare il terreno,
tre in pianura si cercava di bonificare i
ni soggetti ad esondazione piantando
hi di cipressi, nel tentativo di prosciugarli. I
ssi, infatti, hanno un legno immarcescibile:
prerogativa veniva sfruttata per
nettere la formazione sul suolo inzuppato
qua di uno strato di foglie e di rami che col
po si sarebbe trasformato in humus.
ce che il fiume Sarno, dalle acque limpide
scose ancora fino ad un secolo fa, in
to fosse navigabile, costituendo così una
ortante via commerciale anche verso
erno: in un affresco, quella del cosiddetto
rio del Sarno", esso appare effettivamente
orso da una barca mentre lungo le sponde
follano commercianti pronti a trattare la
dita dei loro prodotti, che qualcuno ha
tificato come cipolle, coltura di pregio
i orti pompeiani.
mbienti palustri della foce erano chiusi
anneti che ospitavano una ricca avifauna
ziale e di passo, costituita soprattutto
rampolieri.
resenza di un porto fluviale in prossimità
mare si giustificava con un riparo più
ro per le navi e con la possibilità di avviare
ffici commerciali lungo la costa e verso
erno.

mbienti fluviali

tudio dei pollini e dei legni ha permesso di
nire la vegetazione che accompagnava il
o nei vari tratti del suo corso.

Le sponde erano coperte di alberi di salice,
pioppo e ontano tipici delle sponde fluviali,
nonché di erbe e arbusti caratteristici degli
ambienti come canne, giunchi, tife, mentre nei
tratti del fiume con acque più tranquille e
meno profonde galleggiavano le ninfee. Tra la
vegetazione trovavano riparo numerose specie
di uccelli, raffigurati frequentemente negli
affreschi. Oltre ad un grosso mollusco bivalve
oggi estinto, l'*Anadonta cygnea*, si pescavano
pesci e crostacei d'acqua dolce come anguille
e gamberetti, questi ultimi ricercatissimi fino a
qualche decennio fa, prima che il tratto finale
del fiume diventasse inquinato (è attualmente
in corso un progetto di risanamento
dell'intero bacino fluviale).

Un vastissimo bosco, costituito principalmente
da frassini, olmi e ontani (cui si fa cenno
anche negli autori classici), occupava gran
parte della pianura, spingendosi fino alla
radice dei Monti Lattari: nella attuale località
Sant'Abbondio, leggermente sopraelevata
rispetto alla piana, esso si arricchiva di ligustri,
carpini, sambuchi, roverelle, noccioli e bosso
nel sottobosco, mentre in direzione
dell'odierna Scafati, a margine delle aree
stagnanti caratterizzate dalla presenza di tife
e di gliceria, prevalevano i pioppi.

*Cestino con anguille
e altri pesci. Affresco
nella Casa di Marco
Lucrezio Frontone, Pompei*

*Alle pagine seguenti:
Bosco ripariale lungo
le rive del Sarno*

Nella parte più bassa la piana era frequentemente soggetta ad inondazioni: ciò rendeva i terreni particolarmente umidi e pesanti; per prosciugarli si ricorreva, come si è già detto, a boschi artificiali di cipresso piantati nelle aree di esondazione, in particolare a Moregine e ai Vagni di Scafati. Anche l'altro ramo del fiume era accompagnato da una ricca vegetazione di ontani, salici e pioppo e di piante tipicamente acquatiche come tife e calte.

Verso la foce le canne e i giunchi ricoprivano i vasti acquitrini formati dal fiume, ormai senza più vigore.

il fiume come risorsa

Come si è già detto, un centro abitato non poteva svilupparsi se non aveva disponibilità nelle vicinanze di un'adeguata fonte di approvvigionamento di acqua dolce. La vicinanza di un fiume significava inoltre la possibilità di averne a disposizione una gra quantità per le necessità quotidiane delle popolazioni locali.

l'uso dell'acqua

L'acqua era indispensabile per la sopravvive non solo sul piano personale, ma anche su quello comunitario.

La ricchezza dei suoli della piana vesuviana non avrebbe avuto alcun valore se non ci fosse stata la possibilità di irrigare frequentemente gli orti che erano a ridosso della città e nella città stessa.

Le colture orticole, tra cui quella delle cipoll del cavolo, che rendevano famosa Pompei, richiedevano infatti grandi quantità d'acqu come dimostrano anche le sistemazioni

grarie del suolo ancora visibili sotto lo strato
i lapilli: fonde, fosse, canali e così via.
egata strettamente alla presenza del fiume
ra anche la coltivazione della canapa nei
erreni più pesanti. La fibra di canapa aveva
nolteplici usi non solo tessili: veniva infatti
sata anche per intrecciare corde e reti.
er portare l'acqua dal fiume ai campi ci si
erviva della cosiddetta "vite di Archimede",
affigurata anche in alcuni affreschi: un
ondotto a spirale realizzato in legno su un
sse appena inclinato così che un'estremità
otesse pescare nell'acqua. Il cilindro veniva
zionato da uno schiavo che camminandovi
opra spostava l'acqua verso l'altra estremità
a cui fuoriusciva a livello superiore.
Involta, però, c'era necessità di portare
acqua ad altezze molto maggiori: si usava
lora la noria, o ruota idraulica: una ruota sul

cui bordo erano legati vasi di terracotta,
azionata dalla corrente del fiume. Arrivati in
basso, nell'acqua, i vasi si riempivano per
svuotarsi, risaliti in alto, in una tramoggia che
incanalava il liquido verso la destinazione
desiderata.
Anche in città vi era una ruota idraulica, che
alimentava le Terme Stabiane: se ne conserva
ancora oggi l'impronta nelle concrezioni
calcaree del vano in cui era ospitata.
Negli immediati dintorni della città vi erano
anche altre sorgenti di acque dolci,
considerate curative: famose quelle di Stabia,
tra cui la celebratissima Didimia, e quella che
alimentava le Terme di Frugi, poco lontano da
Porta Ercolano, da identificare con l'altro ramo
del fiume.
Quando la città fu dotata di acquedotto, il
"castello dell'acqua" situato nei pressi di Porta

Orecchini realizzati con "perle di fiume", ritrovati a Pompei. Napoli Museo Archeologico Nazionale

Vite di Archimede azionata dall'energia umana

Noria, ruota idraulica azionata dalla corrente del fiume

Anatre sul Nilo, particolare di mosaico dalla Casa del Fauno a Pompei. Napoli, Museo Archeologico Nazionale

Vesuvio suddivideva il flusso in tre condutture principali destinate ad alimentare le fontane, gli edifici pubblici e le utenze private: si poterono così realizzare i primi giochi d'acqua nei grandi giardini come quelle di Loreio Tiburtino, in cui il lume delle tubature veniva ristretto sempre più fino a creare gli zampilli delle fontane decorative.

L'uso delle piante degli ambienti fluviali

Le piante che crescevano lungo il fiume avevano una grande importanza nella vita di ogni giorno: ad esempio con il legno del frassino, molto flessibile, si facevano le doghe del letto, i fiori del pioppo fornivano un colorante giallo, le foglie del salice erano usate in farmacia come antinfiammatorio (contenevano acido acetilsalicilico, che dall'albero prende il nome, più noto col nome commerciale di aspirina); con l'ontano si facevano condotte per l'acqua.

Non a caso raccomandava Varrone (*De re rustica*, I, XXII): *Di quanto cresce nel podere e può farsi da' servi, non si compri nulla di quello che si può fare coi vimini e con materiale campestre, come corbe, fiscelle, trebbie, cartelli, rastrelli*. Tra le piante utili egli citava il salice da vimini, la canapa, i giunchi, perché con essi si potevano fabbricare attrezzi per la casa e per la campagna. Il salice, proprio per l'enorme importanza che aveva, era coltivato anche a margine della proprietà o lungo i corsi d'acqua, tanto che nella graduatoria delle colture in ordine di importanza stilata da Catone il saliceto occupava il terzo posto e addirittura precedeva l'uliveto. La flessibilità dei rami di salice, infatti, li rendeva adatti non solo a fare legacci utili in campagna, ma permetteva di intrecciare canestri, corbelli e

"comodissime poltrone a sdraio" (Plinio, *Naturalis Historia*, XVI, 174) secondo un uso, del resto, che si è protratto per secoli fino ad arrivare ai nostri giorni. Tra i reperti pompeiani vi sono alcuni canestri di vimini: talora ben conservati nella loro consistenza lignea, altri recuperati in forma di calchi.

Lo stesso valeva per i giunchi, con cui si intrecciavano oggetti di dimensioni minori: alcuni esemplari molto ben conservati sono stati trovati, per esempio, nell'antica Ercolano. Il giunco era usato anche per realizzare "le fiscelle", piccoli canestri di forma cilindrica in cui veniva messa la ricotta appena fatta per portarla al mercato: essa prendeva il sapore un po' selvatico del giunco, mentre il siero continuava a colare, secondo una pratica ancora in uso nella Napoli degli anni '50, dove i contadini provenienti dalla campagna portavano al mercato cittadino la ricotta di "fuscella", corruzione del latino *fiscella*.

Paesaggio fluviale con una barca a vela e una a remi. Affresco da Pompei. Napoli, Museo Archeologico Nazionale

Canestro in vimini con ortaggi o frutta. Affresco nella Casa dei Cervi, Ercolano

*Anatre, uccelli, pesci e
conchiglie, particolare
di mosaico dalla Casa del
Fauno a Pompei. Napoli,
Museo Archeologico
Nazionale*

Importantissimo infine era l'uso delle canne, che crescevano abbondanti soprattutto lungo gli argini e nell'ampio delta del fiume. Scriveva Plinio: *Tra gli arbusti acquatici il primo posto spetterà alle canne, necessarie per impieghi sia di pace che di guerra, e utili per fabbricare strumenti destinati al diletto. Le popolazioni del Nord usano le canne per le coperture delle abitazioni e simili tetti resistono per secoli. Nel resto del mondo poi con esse si fanno anche delle soffittature molto leggere* (Naturalis Historia, XVI, 156 e segg.).

Le canne servivano dunque per costruire strumenti musicali, ma erano utilizzate anche per la caccia: con esse si realizzavano, ad esempio, trappole per i cinghiali e corte lance. Delle loro infiorescenze secche erano imbottiti i materassi delle locande. In agricoltura potevano essere usate come tutori delle viti, o, secondo un'antichissima tradizione ancora viva nelle comunità agricole più arcaiche, per costruire cannelli a protezione delle dita durante i lavori di mietitura.

Le canne erano usate soprattutto in edilizia: resistenti ma leggerissime, riunite in gruppi e rivestite di intonaco costituivano le pareti divisorie, come è ancora ben visibile nella Casa di Polibio, e le controsoffittature delle case; forse anche perché si trattava di un materiale poco costoso e sempre disponibile (le canne, come tutte le graminee, crescono rapidissimamente rinnovandosi di continuo), ed essendo inoltre molto leggere non gravavano sulle strutture, provocando meno danni in casi di crolli. Soprattutto l'uso edile, attestato in tutti gli edifici di Pompei, testimonia da una parte la vastità degli acquitrini nei dintorni della città e dall'altra pone qualche interessante interrogativo sulla

loro raccolta, che sembrerebbe ricadere in un uso civico di parti del territorio.

altri prodotti del fiume

L'*Anodonta cygnea* non solo era commestibile, ma forniva anche le cosiddette "perle di fiume", meno regolari e pregiate di quelle marine, ma egualmente usate in gioielleria. Le valve erano usate come contenitori per i colori sia da trucco che da pittore. I ciottoli di calcare bianco levigati dalle acque del fiume erano utilizzati come elemento decorativo dei pavimenti. Anche il travertino (formato nel corso di centinaia d'anni per deposito del carbonato di calcio sciolto nell'acqua sui detriti vegetali, tant'è che in esso si distinguono in maniera chiara non solo fusti di piante palustri, ma persino foglie), era usato abbondantemente in edilizia: interi tratti delle mura di Pompei e molte case furono costruite con blocchi di questa pietra.

Alle pagine precedenti:
Scena fluviale con tempietto, affresco nella Casa dell'Efebo. Pompei. La figura in primo piano sembra azionare una vite di Archimede

Narciso si specchia alla fonte. Affresco dall'Insula Occcidentalis, Pompei.

L'Equiseto cresce lungo i corsi d'acqua

Conchiglie di fiume ritrovate a Pompei

Mura in travertino di un pistrinum (panetteria) a Pompei

Uomini e pesci nuotano
attorno al disco centrale,
nel quale è raffigurato
un motivo vegetale.
Mosaico nel quartiere
termale della Casa
del Menandro, Pompei

Alle pagine seguenti:
area marina con costa
rocciosa

Città di mare con porto,
affresco da Stabia. Napoli,
Museo Archeologico
Nazionale, Non pare
trattarsi di una città
specifica, sebbene sia
stata identificata con
Pozzuoli o Alessandria
d'Egitto

il mare

Il tratto di costa su cui si affacciava Pom[
era molto articolato, e ciò certamente
contribuiva alla sua ricchezza: come per
ambienti terrestri, infatti, anche gli habi[
marini sono diversi.
Nel caso dell'antico mare "pompeiano", s[
distinguevano coste rocciose ora di natu[
calcarea, ora vulcanica, e tratti sabbiosi
alternati alle foci, orlati di saline e palud[
separate da dune e ricoperte di pini, lecc[
forse mirti. Sulla falesia calcarea di Stab[
crescevano pini d'Aleppo e cisti.
I diversi tratti di costa a mare davano lu[
egualmente ad habitat diversi, ciascuno
caratterizzato da flora e fauna proprie. S[
potevano quindi distinguere una zona di
spruzzo appena al di sopra del livello del
una zona di marea profonda un metro, u[
zona costiera superiore che arrivava a di[
metri, una inferiore che si spingeva fino
a 50 metri per poi precipitare nella zona
fino a 500 metri di profondità al largo d[
costa. Ad accentuare la pescosità del ma[
contribuivano in antico proprio le foci de[
diversi rami del fiume Sarno: il rimescoli[
continuo delle acque e l'apporto costant[
dei detriti vegetali contribuivano ad arri[
il pascolo per i pesci.

gli ambienti marini

In due splendidi mosaici ritrovati a Pomp[
sono raffigurati in maniera vivacissima i
più comuni del luogo nell'antichità, mess[
relazione con quelli che sembrano due d[
tratti di costa.
Nel mosaico a fondo nero è delineata un[
costa decisamente rocciosa: il martin
pescatore sembra in attesa di tuffarsi pe[

1. *Octopus vulgaris*
   polpo zona costie[...]
   superiore
2. *Palinurus vulgaris*
   aragosta zona cos[...]
   inferiore
3. *Torpedo torpedo*
   torpedine zona co[...]
   inferiore su fondi
   sabbiosi
4. *Scyliorhinus canic[...]*
   gattuccio zona
   profonda su fond[...]
   fangoso e sabbios[...]
5. *Scyliorhinus stella[...]*
   gattopard zona
   profonda su fondo
   roccioso
6. *Muraena helena*
   murena zona cost[...]
   superiore tra le
   scogliere e in vecc[...]
   anfore
7. *Mugil auratus*
   muggine dorato [...]
   costiera superiore [...]
   i litorali sabbiosi n[...]
   pressi di lagune e [...]
8. *Sparus aurata*
   orata zona costier[...]
   superiore lungo [...]
   le praterie di Zoste[...]
   e coste rocciose
9. *Diplodopus sargus*
   sarago zona costie[...]
   superiore nelle zon[...]
   di risacca
10. *Boops boops*
    boga zona costiera
    inferiore lungo la c[...]
    rocciosa e le prater[...]
    marine dove si mu[...]
    a sciami
11. *Mullus sermoletus*
    triglia di scoglio z[...]
    profonda su prater[...]
    marine e coste roc[...]
12. *Dicentrarchus labr[...]*
    spigola zona profo[...]
    lungo la costa rocc[...]

oinephelus guaza
ernia gigante zona
rofonda lungo
 costa rocciosa
ai margini di praterie
 Posidonia
erranus scriba
ciarrano scrittura
ona costiera
uperiore tra le alghe
gli scogli
rigla
o.cappone zona
rofonda su fondo
abbioso
corpaena porcus
corfano nero zona
ostiera inferiore
u fondo roccioso
a le Posidonia
spitrigla cuculus
appone imperiale
ona profonda
u fondo sabbioso
oligo vulgaris
alamaro zona
rofonda su fondo
helmoso e praterie
i Posidonia
Murex brandaris
hurice spinoso zona
ostiera superiore
trombus
o. strombo
leneatus kerathus
ambero imperiale
ona costiera inferiore
la foce dei fiumi
lcedo atthis
martin pescatore
erranus cabrilla
ciarrano comune
ona costiera
uperiore
alanus
o. dente di cane
ona di spruzzo
i margini di quella
i marea

*Fauna marina. Mosaico
con fondo nero, da
Pompei, Casa a cinque
piani, VIII, 2, 16. Napoli,
Museo Archeologico
Nazionale*

1. *Mugil auratus*
   muggine zona
   costiera superiore
   lungo i litorali
   sabbiosi nei pressi
   di lagune e foci
2. *Serranus cabrilla*
   sciarrano comune
   zona costiera
   superiore tra le alghe
   e gli scogli
3. *Diplodopus vulgaris*
   sarago comune zona
   costiera superiore
   nelle zone di risacca
4. *Muraena helena*
   murena zona costiera
   superiore tra le
   scogliere e in vecchie
   anfore
5. *Torpedo torpedo*
   torpedine zona
   profonda su fondi
   sabbiosi
6. *Sparus aurata*
   orata zona costiera
   superiore lungo le
   praterie di Zostera
   e coste rocciose
7. *Pagrus pagrus*
   pagro zona profonda
8. *Scorpaena scrofa*
   scorfano maggiore
   zona costiera inferiore
   su fondo roccioso tra
   le Posidonia
9. *Murex brandaris*
   murice spinoso zona
   costiera superiore
10. *Dentex dentex*
    dentice zona
    profonda lungo le
    coste rocciose
    e praterie di Zostera
11. *Palinurus vulgaris*
    aragosta zona
    costiera inferiore
12. *Octopus vulgaris*
    polpo zona costiera
    superiore

cyliorhinus stellaris
attopardo zona
rofonda su fondo
occioso
ierops apiaster
ruccione
igla
o. **cappone** zona
rofonda su fondo
abbioso
enaideae
ambero
ecten jacobeus
onchiglia dei
ellegrini zona
rofonda su fondo
abbioso e corallino
Iullus barbatus
riglia di fango zona
rofonda su fondi
elmosi e sabbiosi
icentrarchus labrax
oigola zona profonda
u coste rocciose
iplodopus sargus
arago zona costiera
uperiore nelle zone
i risacca
iplodopus annularis
oaraglione zona
ostiera superiore
ungo la costa
occiosa e i moli
ei porti
alaemon
o. **gambero sega**
ona costiera
uperiore lungo la
osta rocciosa
rigla lucerna
appone gallinella
ona profonda su
ondo sabbioso

*Fauna marina.
Mosaico con fondo blu,
da Pompei, Casa del
Fauno. Napoli, Museo
Archeologico Nazionale*

catturare qualche pesce. Tra le specie raffigurate, insieme al polpo, l'aragosta, la razza, la murena, per citarne solo alcuni comuni ad entrambi i mosaici, vi sono la triglia di scoglio, il murice, il balano, il gattuccio, lo scorfano, il calamaro, la cernia, tipici delle praterie di sabbia e poseidonia, localizzati alla base degli ambienti rocciosi digradanti verso le acque più profonde. Nel secondo mosaico, a fondo blu, il paesaggio è più articolato: un gruccione, uccello che frequenta gli ambienti salmastri aspetta di catturare qualche insetto. Sono raffigurate specie tipiche dei fondali profondi sabbiosi, come la gallinella di mare, la triglia di fango, lo scorfano e la conchiglia di San Giacomo. Sono inoltre raffigurati nel primo mosaico il muggine dorato e il gambero imperiale, caratteristici delle aree lagunari e/o di foce, mentre nel secondo insieme al muggine dorato compare anche lo sparaglione, a delineare un ambiente marcatamente portuale.

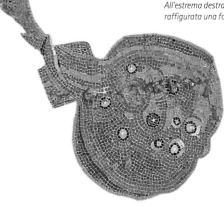

Architettura con tholos (tempietto circolare) e nature morte di pesci e cacciagione. Affresco da Pompei, casa VI, Insula Occidentalis 41. Napoli, Museo Archeologico Nazionale. In questa raffigurazione di un santuario i pesci e gli uccelli rappresentano probabilmente ex voto di pescatori e cacciatori. All'estrema destra è raffigurata una fontana

Alla luce di queste osservazioni si può pensare che i mosaici, pur essendo simili nella composizione probabilmente derivata da uno stesso "cartone", illustrino due habitat diversi della costa prospiciente l'antica Pompei, che le recenti indagini geologiche confermano: quello a fondo nero più propriamente roccioso e quello a fondo blu invece misto.

La grande ricchezza del mare è testimoniata anche dall'infinito numero di conchiglie rinvenute nelle case pompeiane, relative a molluschi non solo commestibili: ostriche in diverse varietà, vongole, patelle, cozze, chiocciole di mare, murici, pettini, datteri di mare, arche di Noè, cuori, piedi d'asino, tartufi, cannolicchi, orecchie marine.

I molluschi non fanno che confermare i diversi tipi di fondali: le patelle, le orecchie di mare, i murici, le ostriche, le cozze, le arche vivono aderendo in maniera diversa agli scogli litorali, i litodomi o datteri di mare forano le sole rocce calcaree, tutti gli altri molluschi vivono nei fondali di sabbia fine e/o fangosi.

il mare come risorsa

i prodotti ittici

Le diverse qualità di pesci e di molluschi entravano in maniera diversa nell'alimentazione degli antichi Pompeiani, sia in termini di qualità che di quantità.

I molluschi più comuni e disponibili tutto l'anno, a giudicare anche dal grandissimo numero di ritrovamenti, erano probabilmen usati dai meno abbienti: non a caso, come dimostrano i reperti, il cosiddetto "piede d'asino" dalle carni coriacee e molto abbondante, è chiamato ancora oggi nel napoletano "cozza di schiavo".

Più scarsa doveva essere la disponibilità di ostriche, o il consumo doveva essere così ampio da sentire la necessità di coltivarle. T reperti pompeiani, numerosissimi e relativi diverse specie, qualcuna porta traccia di coltura perché aderente a cocci di terracott secondo la tecnica suggerita dagli autori classici. È singolare, per l'attualità della pratica, la citazione di Plinio (*Naturalis Historia* 32,64) circa il consumo delle ostric presso le classi sociali più alte: "*il lusso ha raggiunto la freschezza, coprendole di neve, mescolando la sommità dei monti e le profondità del mare*".

La pratica dell'allevamento presso i più abbienti non si fermava alle sole ostriche: venivano creati allevamenti artificiali press coste sia per pesci di sabbia che per pesci d scoglio. Secondo Seneca era invalso addirittura l'allevamento in acquari di vetro che permettevano ai commensali di sceglie sul momento il pesce desiderato; ma di tutt queste pratiche per ora non si è trovata traccia nelle antiche città vesuviane.

Anforetta da garum *ritrovata a Pompei*

Anfora da garum, *mosaico da Pompei*

Ingredienti per il garum. *Ritrovati a Pompei, Casa del Garum*

Più modestamente, nei viridari di alcune case di Pompei furono allestiti dei murenai, costituiti da vasche in cui una parete era occupata da anfore per dare riparo delle murene.

Ma il prodotto ittico per cui l'antica Pompei andava famosa era il *garum*, ottenuto filtrando l'acqua di salamoia prodotta dalla macerazione dello scarto dei pesci posti sot sale. La produzione di *garum* pompeiano, celebrato dagli autori classici, trova riscontr nei reperti di più diversa natura: graffiti, mosaici, anfore da *garum,* resti di pesci in grandissima quantità.

L'identificazione di questi ultimi ha rivelato che la specie più usata era la boga, localme conosciuta come vopa, raffigurata anche ne mosaico a fondo nero. Era diffusa in grandi banchi lungo i fondali litoranei particolarmente ricchi di vegetazione e pote essere catturata in grande numero con le re La produzione di *garum*, del resto, per esser conveniente richiedeva non solo abbondanz di pesce, ma anche grande disponibilità di s e di resina per impermeabilizzare le anfore. costa pompeiana rispettava queste condizio per la presenza sia di saline che di vegetazio resinosa.

Area costiera sabbiosa, nei pressi di Pompei

Conchiglia sezionata per studio o per ornamento. Ritrovata a Pompei

Conchiglia di San Giacomo, ritrovata a Pompei

esca

ecniche di pesca più usate possono essere
vate da mosaici ed affreschi ed erano
iamente legate alle specie da catturare.
gli scogli si pescava con gli ami, con le
se e anche con gli arpioni; un po' più al
o con le reti e con le nasse. Gli ami erano
porzionati alla preda, le reti erano fatte di
a di ginestra o di canapa.
olluschi abbondanti nei fondali sabbiosi e
gosi erano raccolti con il rastrello. Ci si
mergeva in apnea per raccogliere spugne,
alli e datteri di mare: è drammatica la
crizione di Plinio, che racconta del terrore
coglieva i nuotatori, quando, mentre
no immersi, vedevano addensarsi gli squali
a loro testa.
scontro tra letteratura classica e tecniche
esca trova un esempio divertente e
ificativo in una osservazione di Plinio
turalis Historia, XXXII, 17) che scrive: "*In
l di Stabia, in Campania, vicino alla roccia
rcole, i melanuri acchiappano il pane
tato in mare ma non si avvicinano a nessun
o in cui vi sia un amo*".
elanuri sono le occhiate, evidentemente
ondanti tra le rocce dello scoglio di
vigliano (roccia d'Ercole) che venivano
rate con molliche di pane per essere poi
turate con reti e retine.

saline

produzione di sale costituiva un'importante
orsa per l'economia locale: era infatti molto
iesto per la conservazione del cibo, e ciò lo
deva una preziosa merce di scambio.
coltivazione di una salina, però, era
rogativa di pochi luoghi, perché per
lizzarla occorrevano diverse condizioni:

la presenza di suoli argillosi, e quindi
impermeabili, nei pressi del mare per allestire
le vasche di evaporazione; di conseguenza un
corso di acqua dolce nelle immediate
vicinanze, il sole estivo e il vento.
Nell'antica Pompei tali condizioni si
realizzavano nel tratto di costa in prossimità
dell'odierna Torre Annunziata,

Salina

Ricci, ritrovati a Pompei

Alle pagine seguenti:
*Trampoliere tra fiori
di palude. Affresco nella
Casa del Menandro,
Pompei*

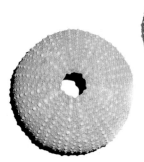

nei pressi della foce del ramo secondario del fiume Sarno, lungo la strada che da Porta Ercolano, non a caso chiamata anche "porta del sale", andava verso Ercolano.

La presenza delle saline pompeiane è testimoniata non solo dalla letteratura e dai graffiti, ma anche dalle più recenti e sofisticate indagini geodiagnostiche, che ne hanno permesso la definitiva localizzazione.

farmaci dal mare

Così come per tutte le materie disponibili sia di natura organica che inorganica, anche il mare offriva un gran numero di prodotti che venivano usati come farmaci.

La stessa "acqua marina" era utilizzata per curare: riscaldata per guarire le tendiniti, le contusioni e per favorire l'ossificazione in caso di frattura, fredda per "asciugare" il corpo.

Molto singolare, così come raccontato da Plinio (*Naturalis Historia*, 31, 62) era l'uso dei "*viaggi in mare per i tisici, come si è detto, o per l'emottisi, come poco tempo fa – ricordo – fece Anneo Gallione dopo il suo consolato. L'Egitto non è infatti di per sé lo scopo di un viaggio, ma ci si va in considerazione della lunghezza del tragitto per mare. Per di più i vomiti stessi causati dal beccheggio sono un rimedio per moltissime malattie della testa, degli occhi e del petto e per tutte quelle per cui si beve l'elleboro*", che rimaneva forse il rimedio più usato per i meno abbienti, che non potevano permettersi un viaggio in mare.

Anche il *garum* era molto usato in medicina: per curare le ustioni, le ulcere della bocca o i morsi dei cani (!).

Con il sale si guarivano le contusioni e il mal di denti, sciolto in aceto le punture di vespe e calabroni. Con le spugne si nettavano le ferite, si assorbiva il sangue durante gli interventi chirurgici; imbevute con vino o acqua fredda aiutavano a curare le infiammazioni, imbevute di acqua salata evitavano la suppurazione delle ferite.

Con le ostriche si curavano i disturbi di stomaco. L'olio estratto dal fegato di merluzzo era un ricostituente, peraltro ancora in uso, ma questi sono solo pochi esempi.

Tra gli usi curiosi e al limite della magia vi era quello che rendeva scuri in volto coloro che osservavano una lucerna alimentata con nero di seppia, l'uso della ciprea per contrastare le malattie veneree e quello dei rametti di corallo per proteggere i bambini, secondo un uso ancora oggi in voga.

altri usi

Le conchiglie soprattutto erano utilizzate in mille modi diversi: le più belle come quelle dei pettini diventavano piccoli portagioielli, mentre le singole valve potevano essere utilizzate per stemperare i colori per il trucco o quelli dei pittori.

Le conchiglie di gasteropodi venivano sezionate trasversalmente, forse per studiarne le circonvoluzioni o per usarle in maniera ornamentale. Troncando l'apice di una buccina si otteneva uno strumento di richiamo; dai murici si estraeva la preziosissima porpora. Le conchiglie, soprattutto quelle dei murici, dei cuori e delle vongole venivano utilizzate per decorare fontane, ninfei, mentre infinite quantità di valve di vongole e simili venivano interrate per favorire il drenaggio del terreno a dimostrare ancora una volta come presso le culture più antiche, come quelle più povere, non si concepiva, e non si concepisce, lo sperpero delle risorse naturali.

La nave del mercante greco, affresco da Pompei. Napoli, Museo Archeologico Nazionale

Pesci e anatre, mosaico da Pompei, Casa del Granduca di Toscana. Napoli, Museo Archeologico Nazionale

*Pesci e frutti di mare,
affresco dalla Casa
dei Casti Amanti, Pompei*

*Gusci di tritone, di dolium
e di ostrica, ritrovati negli
scavi di Pompei*

eggende del mare

are rappresentava una formidabile via di
nbio e di comunicazione: le conchiglie
tiche, che numerosissime sono state
ate nelle case pompeiane, aiutano a
nire i confini in cui si muovevano i
iganti locali e si svolgevano i commerci.
ridacne, le cipree panterine, i *conus textile*,
onchiglie perlifere, le cui valve
dreperlacee furono incise con motivi
orativi, erano il ricordo di viaggi in mari
tani come quelli del Mar Rosso e dell'India,
cui furono importati anche preziosi
nufatti in avorio.
aggio in mare, però, era il viaggio verso
cognito e proprio per questo nulla più del
re alimentava leggende, che avevano come
tagonisti proprio le sue creature.
Plinio raccontava delle enormi piovre che
turavano le navi, delle remore che
accandosi alle chiglie impedivano loro di
cedere, dall'altra ricordava i ricci che,
ngendo pietruzze tra le spine per non farsi
scinare, avvertivano i marinai delle
npeste in arrivo, e i delfini che nuotando
no a riva lungo la costa puteolana
evano compagnia ai ragazzini che si
avano a scuola, , quasi a cercare sicurezza
una realtà che suscitava paura.

*Amorino su carro marino
trainato da delfini.
Affresco nella Casa
dei Vettii, Pompei*

45

ana decorativa
giardino. Affresco
Casa del Bracciale
, Pompei

finito di stampare
nel maggio 2006
per conto di Electa Napoli

prestampa e stampa SAMA, Quarto (Napoli)
allestimento S. Tonti, Mugnano (Napoli)